劉福春・李怡 主編

民國文學珍稀文獻集成

第四輯
新詩舊集影印叢編　第148冊

【謝康卷】

露絲

北新書局 1928 年 4 月出版

謝康 著

花木蘭文化事業有限公司

國家圖書館出版品預行編目資料

露絲／謝康 著 -- 初版 -- 新北市：花木蘭文化事業有限公司，2023
〔民 112〕

174 面；19×26 公分

（民國文學珍稀文獻集成・第四輯・新詩舊集影印叢編 第 148 冊）

ISBN 978-626-344-144-6（全套：精裝）

831.8　　　　　　　　　　　　　　　　　　111021633

ISBN-978-626-344-144-6

民國文學珍稀文獻集成 ・ 第四輯 ・ 新詩舊集影印叢編（121-160 冊）
第 148 冊

露絲

著　　　者　謝康
主　　　編　劉福春、李怡
企　　　劃　四川大學中國詩歌研究院
　　　　　　四川大學大文學學派
總 編 輯　杜潔祥
副總編輯　楊嘉樂
編輯主任　許郁翎
編　　　輯　張雅淋、潘玟靜　美術編輯　陳逸婷
出　　　版　花木蘭文化事業有限公司
發 行 人　高小娟
聯絡地址　235 新北市中和區中安街七二號十三樓
　　　　　　電話：02-2923-1455／傳真：02-2923-1452
網　　　址　http://www.huamulan.tw 信箱 service@huamulans.com
印　　　刷　普羅文化出版廣告事業
初　　　版　2023 年 3 月
定　　　價　第四輯 121-160 冊（精裝）新台幣 100,000 元　　版權所有・請勿翻印

露絲

謝康 著

作者生平不詳。

北新書局一九二八年四月出版。原書四十開。

呈

烈　紹　徐
常　柱　裘
球　亮　宗

謹誌

露 絲

A ROMANCE

謝 康 著

北 新 書 局

1928

1928, 3, 付 排

1928, 4, 出 版

1———2000

每 冊 定 價 大 洋 四 角

露　絲

—A ROMANCE

"山有嶔嶔，
　隰有杞桋.
　君子作歌，
　維以告哀."
　　　　——詩.四月.

露　絲

鮫人的夜歌

—— 序裴姓當著『鮫人,』并『露絲.』

我知道我是淚海的鮫人,
闌殘的華年會在海水里埋葬,深深;
而且,對着碧晴天上的明月喲,
要把我的淚珠兒瀉傾.

只是當年的月夕與花晨,
如何還幻做咋宵夢里的綠酒,紅燈?
我不解,這年年的飄零與激浪,
究竟是夢幻還是多情?

我不解往昔的歡娛溫馨,
只是今朝夢里的思量,醒時的悽清?
寂寞鮫人的夜里,我漫歌代哭,
哭不回那巳往的光陰?——

仲夏夜之幽夢散了,而今,
天上的雲霞隨了海水的泡沫,消殘.
便有十萬斛的明珠喲,何處換
我那溫香艷麗的青春!

啊,天上的太陽又已西沈,
人間的車聲馬聲去了,都馳向黃昏.
多情,還是浩淼無涯的波濤也,
澈夜澈朝的伴我哀吟.

埃甸圍外

——序詩

裴柱常

人間的春風吹入了草木陰深的埃甸.
圍里那蒙昧的男女同歌着春天,——
不知這時候就要流放到荒蕪的去處,
再不能在神祕的天園里片刻留連.

浮過了一個大海就是沒有開墾的人間,
無邊的白雲已經遮蔽了東方的長天.
在林陰里隱躲的斯須雖然不能忘記,
到今朝也只得拋却那夢一般的從前.

再不要踟蹰罷,同去耕被咀咒的荒田,
Hiddekel 與 Euphrates 的河水自泛着游漣.
在這里的夏娃也還似埃甸圍里的仙姑,
無情的時光並沒有偷去她的紅顏.

(1)

他們的歌聲唱出了過去的夢幻，
春天的消息就流落在無窮的人間，
地上的草木這時候也長出了綠葉，
在這里的亞當更不想念那敬禱的埃旬。

（8）

第一部

正是黃昏的時分：
西山的夕陽照着，
藍碧的湖水，沈默．
湖水輕打着沙灘，
捲起銀樣的泡沫，　　　　　5
彷彿千萬粒眞珠，
絲綴在黃金錯邊．
時起時滅，又好似
天上縷縷的白雲，
黃昏時分的炊煙．　　　　　10
寥廓幽邃的天郊，
掛着斑爛的殘霞．
霞半有幾個沙鷗，

（ 1 ）

隨着遠帆兒回家.
淡霧籠罩着湖山.　　　　　15
山上的松林失了
牠們細長的清影.
松林里有個仙女，
在那里嘆息低吟.
她居此十多年了，　　　　20
已不知看了多少
天上薄暮的霞光，
聽了多少的潮聲.
她盼望老父歸來，
從天明望到日落，　　　　25
從日落望到天明.
望到林樹兒開花，
望到花落又果生.
她盼望了十多年，
還只是獨自一人，　　　　30
只是這般的悽清.

老父歸去的時候，

（2）

山原的春草青青，
燕子從海外飛來，
湖山的春色深深.   35
誰知燕子飛去了
飛回飛回又飛去，
平原的春草綠了，
變黃，綠了變黃，她
老父還沒有歸意.   40
她老父本是仙吏，
牠本是上界仙子.
只因她年幼無知，
錯犯了天界條律.
因此上降落凡塵，   45
謫居到這座山林，
是要她思量，要她
懺悔往日的過失.
她老父重返天上，
只留她一人獨自.   50

松林里仙女聚著

（3）

萃徨,嘆息又低吟.
那山下的湖莊却
躺在平靜的湖邊,
隨那傍晚的潮音.　　　　　55
那兒叢林的頭上,
早掛着三五疎星.
牧童自山上歸來,
正是黃昏的時分.

叮牟兒的鈴聲里,　　　　　60
少女露絲歸來了.
她是個美麗姑娘,
家居在叢林西郊.
面臨着靜平湖水,
湖水爲她時奏着　　　　　65
清平可愛的歌闕.
屋後是一座高山,
山上的松林淸寥.
松林中那個仙女,
正和她一樣大小.　　　　　70

（4）

但沒她這麼窈窕，
更不及她的美好．
她是個好女孩子，
時常帶着她母親
收着羊羣兒吃草．　　　75
坐在綠茵的地上，
彈着她的曼陀璘，
唱着古昔的情調：

　"紫籐花開的時候，
　燕子歸來了，　　　80
　山原青青了．
　平原換上新衣，
　卽使細微的小草，
　都也絲絲的笑了．但是，
　愛人啊，你，　　　85
　何日歸來？——
　你未曾歸來的時候，
　愛人啊，
　你戮也，
　我如何是好！　　　90

　"紫籐花開的時候，

　　　　燕子歸來了，
　　　　山原青青了，
　　　　楊柳兒依依的
　　　　在湖濱舞着姍姍．　　　95
　　　　湖水躺在陽光的懷里，
　　　　愛人啊，你
　　　　何日歸來？——
　　　　這鷓鴣啼喚的聲中，
　　　　愛人……，　　　　100
　　　　他說也，
　　　　我如何是好！"

　她常是這麼癸着，
　慰她自己的淸寥，
　但她的戀人萊德　　　　105
　許久還沒有囘家，
　她望着湖畔遠帆，
　她的心啊便隨着
　遠帆兒飛到天涯．——

　萊德出去的時候，　　　110
　那籬笆邊的冬青

　　　　　　（6）

枝子才抽着嫩芽．
唉，不知多少年了，
昔日細弱的枝條，
如今都已開着花． 115
但萊德總是沒有
消息，總是不回家．
也不問他的愛人，
在這般落花如雨，
杜鵑啼喚的時節， 120
是思念不思念他．
也不問他年老的
母親現在是怎樣．
也不問他隴上的
牛羊，田里的桑麻． 125
只不知飄泊蕩浪
在地角還在天涯．

今晚她收羊歸來，
走過萊德的田地．
（他的園地荒蕪了， 130

（ 7 ）

叢生着野草荆棘，
分不出路的東西.）
牠思念着當年的
萊德待她的恩意，
只望着羊兒嘆息.——　　　　135
但牠心中的悲哀，
馴羊兒並不知道.
寂寞的黃昏時分，
湖山格外的清寥.
西山的夕照中央，　　　　140
馴羊兒鈴聲丁丁，
美麗的少女露絲，
嘆息着的歸來了.

一天過了又一天，
杜鵑啼罷的時節，　　　　145
春天又早已去了.
藍而不滓的天郊，
滿堆着朵朵白雲.

（8）

浪漫的南風吹來，
白雲在天上飛跑. 150
田郊的大麥黃了，
平原換上了青衣，
湖山已改了裝了.
山上松林里鶯聲，
聲聲道不如歸去.—— 155
不如歸去不如歸，
幾多離人的心意.——
冬青又開滿着花.
那熱溫溫的香氣，
和着薰芳的南風， 160
吹來自遠山深處.
一個仲夏的傍晚，
西山頭新月昏黃.
映着靜渺的湖水，
宛如羅曼的夢鄉. 165
但萊德還沒回家.
可憐喲,他年老的
母親是多麼悽涼.

（9）

對着情熱的南風，
紐着山頭的新月，　　　　170
可憐的老人倚着
柴門,獨自這麼說:

"吹得高來吹得低,
吹到東又吹到西.
浪蕩多情的南風,　　　　175
你知道,你把春花
吹謝了,化作黃泥.
你把我少年時候
愛人的黑鬖紅顏,
吹成了白髮雞皮.　　　　180
如今啊,你又把我
兒子吹到了海天
深處啲,雲水淒迷.
紫籐花開了謝了,
大麥黃了焦了.我　　　　185
問你何年何日才
是我兒子的歸期.——

（10）

"他今日還不歸來，
我今日年紀已老．
彎彎的月子喲，你　　　　　190
清光照遍九洲，你
照我萊德歸來早！
我在這世界上的
日子喲，是不多了！"

野草兒黃了又青．　　　　　195
山花兒落了還開．
這時候已是七月，
中夏的繁華散了，
但萊德仍未囘來．
露絲只牧着羊羣　　　　　200
唱着別離的哀歌，
一點聲淚落心埃．
但羊兒只能吃艸，
不知少女的悲哀．

（11）

人間除却了萊德，　　　　　　205
與善感的詩人，誰
又了解她的心懷？
可憐她獨立湖畔，
望着遠遠的歸帆，
盼望她萊德，此時，　　　　　210
乘着遠帆兒歸遲．

　"歸來呀，歸來，歸來呀．
　田園久已荒蕪了，
　山原久已寂寥了．
　我異鄉的遊子喲，　　　　　215
　小山之上的翠花
　笑等着你呢遊子．
　柴門前的流水喲，
　哭望着你呢遊子．

　"遊子喲，他鄉，　　　　　　220
　他鄉的情意，
　如何如我
　故鄉的鳥語花香！

（12）

"遊子喲，異地，
　異地的風光，　　　　　　225
　如何知我
　故鄉的愛人情味？

"歸來，歸來，歸來罷，
　田園久已荒蕪了，
　田原久已寂寞了，　　　　230
　我異地的遊子喲，
　故鄉含淚望你呢，
　她說，早日歸來罷！
　她趁何時不冷落，
　你再莫年年躊躇！"　　　235

她輕輕唱着哀歌，
在湖畔低徊來去，
湖水輕拍着沙峯，
也彷彿和着她的
哀歌而低低細語，　　　　　240
那種可憐的情緒，
即使是過路的人，
他聽了，也常感得

（13）

一種言說不出的
苦惱在心的底處．　　　　　　245

逆帆兒湖上輕揚，
湖之水映着斜陽．
露絲獨自在湖畔，
呆望着歸帆，淒涼．
遠帆慢慢的行來，　　　　　　250
她看見彷彿有人，
獨立在船頭之上，
兩眼向湖濱盼望．——

那人是誰喲，誰喲，
她心中暗自思量．　　　　　　255
那人是誰喲，誰喲，
可不是她的萊德，
年來魂夢的想像！
啊啊，可憐的萊德，
早看見他的露絲，　　　　　　260
昂頭呆望着遠帆，

（14）

在湖畔唏噓來往.
他見着這幅情景,
禁不住淚落心腔.
悔不該飄泊外地,　　　　265
丟下了慈母愛人,
丟下了鳥語花香,
隨着碧天的明月,
在他鄉獨自流蕩.
悔不該不早歸來,　　　　270
早慰她倆的長想.
到如今篋底空空,
飽受了雨雪風霜.
露絲望穿了秋水,
老母盼斷了肝腸.　　　　285
浪蕩,浪蕩到今朝,
到今朝才囘故鄉.

那船兒越行越近,
那船頭上的人兒
現着歡悅的顏色,　　　　289

（15）

高叫道我的露絲!"
露絲知道是萊德,
她不知如何是好.

彷彿滿懷的情緒,
一時節難說不了.　　　　285
只見淚眼汪汪的,
欲奔向湖中迎接.
羊羣兒見牠舊主,
也咪咪叫着,好似
表示牠們的欣悅.　　　　290

那船兒越行越近,
萊德在船頭叫着,
"露絲親愛的戀人!"
露絲却低頭無語.
好像是怕聽她的　　　　295
久別愛人的聲音.
臉兒紅紅的歪着,
彷彿是一朵秋雲.
但淚珠兒却好似

（16）

初解化了的春冰，　　　　300
早濕透了她衣巾．

"露絲親愛的戀人！"
露絲欲抬頭回答，
萊德已跳上岸來，
擁抱着細訴離情．　　　　305
但她祗淚汪汪的，
對着歸來的遊子，
默默的不做一聲．
可憐她萬語千言，
萬般相思的苦辛，　　　　310
未曾見面的時候，
祗在靜寂的山原，
彈着她的曼陀玲，
對着馴善的羊羣，
一聲聲付與哀吟．　　　　315
今朝乍見了面喲，
却心頭狂跳難禁．
只眼淚汪汪的，要

（17）

久別的戀人,知道
她那別來的苦心!　　　　320

"露絲,親愛的戀人!"
萊德挑了他行裝,
扶着可憐的露絲,
帶着可愛的羔羊,
重回到花香鳥語,　　　325
快樂和平的山莊.
那時湖上的斜陽,
早已落下了西方.
七月初頭的新月,
浸潤在湖水中央.　　　330

（18）

第二部

綠茵的平原之上，
他記得他會幾度
遨遊,會幾度歌唱.

這時候正是八月，
那新浴了的嫦娥　　　　　335
獨立在碧紗天上.
湖畔習習的晚風，
帶着山中叢桂的
醉人似也的幽香.
吹着下界的情侶　　　　　340
單薄素白的衣裳.
使那情熱的胸懷，

（19）

也微微的感得些
湖山傍晚的秋涼.
萊德彈着曼陀璘,　　　　345
可愛的露絲對着
那月光下的湖水,
湖水之上的月光,
心中若有所思的,
唱着古代的詩歌:　　　　350
遊子喲,歸了故鄉.
那綠隱隱的林影,
那青淡淡的山崗,
他同着他的愛人,
帶着馴善的羔羊,　　　　355
談着外來的風趣,
曼陀璘一聲兩聲,
　"喲,喲,天上的嫦娥!
清光普照着湖水,
湖水輕顫着紫波.　　　　360
蕩漾着的銀光喲,
暖暖慈愛而平和,
我我由眼到心窩!"

（20）

一聲聲高了又低，
一聲聲低了又高。　　　　365
如同千萬個寧扶
同在月明的湖邊，
唱着迷人的歌調．
此時，可愛的露絲
只是出神的唱着，　　　　370
已忘却了那湖濱
日落時分的悲哀，
原上哀歌的苦惱．
而萊德更誠摯的
奏'微娜'絲之祈禱．　　　　375
和着她的曼陀璘，
一聲聲又一聲聲：

　　"愛與青春的女神，
　　大慈大愛大仁！
　　請把那無邊際的　　　　380
　　煩惱都收囘罷！—
　　可憐人世的青春，
　　多在醉死夢生！

　　　　（21）

"愛與慈的女神，
　大慈大愛大仁！　　　　　285
　請把你愛之靈光
　普照着愛之海洋！——
　願我和我的愛人，
　前途浪靜風平！"

　　唱着歌美的戀調，　　　　390
萊德一手挽着他
多情的露絲,舞跳:

"你且看啊，
　美麗的女耶，
　那微顫的月光，
　　　皆黃！　　　　　　295

"你且舞啊，
　多情的女耶，
　在羅幕之夢裏，
　　　綺祥！　　　　　　400

（22）

"月兒高高，
星兒皎皎，
螢光點點，
傍着淺草，
四野虫聲，　　　　405
長吟短叫，
雲淡高天，
露滿湖郊，
游絲沈浮，
萬象吟笑，　　　　410
我們歌唱，
我們舞跳，
歌唱青春，
舞踏良宵。
"月缺又月圓，　　　415
月圓月又缺，
青春如好夢，
夢去形跡滅，
大地與長天，
東西又南北，　　　420
遍覓不可得，
不可得奈何？
同來舞明月─

（23）

"來來，

　月光兒閃閃．　　　　　　425

　快快，

　螢火兒流傳．

　輕輕，

　和風兒細吹．

　陣陣，　　　　　　　　　430

　花朵兒甜美．

　耀耀，

　天上的星星．

　靜靜，

　湖水兒鏡平一　　　　　　435

　我們歌唱，

　我們舞跳．

　歌唱青春，

　青春不老！

"明明　　　　　　　　　　440

　美麗的女郎，

　你且看哪，

　那微寶的月光，

　　　昏黃．

（24）

"別哭，　　　　　　　　445
　多情的女郎，
　你且瞧瞧，
　在羅受之羅烏，
　　　　倘徉。"

湖畔月下的情人，　　　450
在那里同歌舊情。
山上松林里仙女，
却正在對月悲吟。
她悲哀她的老父，
到今天還未歸來，　　455
只她獨自在幽林。
居了十有多年了，
她也看怕了春來
曉夢醒後的落花，
秋來殘落的松針。　　460
怕聽呦呦的山鹿，
怕聽那黃昏時分
林中求友的鶯聲。

（25）

今夜對着天邊的
朋月,更聽着戀歌,　　　465
愈覺得分外悽清.
她恨湖畔的情侶,
不該奏着曼陀璘,
一聲聲一聲聲的,
重喚起她那當年　　　470
已消失了的夢境.
可是她不由的不
走出寂寥的松林,
向着那多情伴侶,
尋覓他倆奏着的,　　　475
那愛人兒的琴音.
這時候已近中夜,
朋月的清光照着
山原和林木清靜.
照着廣渺的湖水,　　　480
湖水分外的清平.
遠山融解在天際,
天際還掛着疎疎,

（26）

幾點閃耀的明星.
她慢慢的,慢慢的, 485
走過了山崗.但是,
她當年的情思喲,
只在她周曹飛騰.

她望着多情男女,
在湖畔相偎相倚. 490
她見那少年聲聲,
"吾愛,我年來飄泊
在外,端的是為你.
只想多賺些金錢,
多買些異鄉珍異, 495
歸來討你的歡喜.
誰知一去便三年,
徒勞你盼望念記."
她見那少年聲聲,
"但我雖飄泊在外, 500
我的心喲,却早已
成了戀愛的奴隸!

（27）

每欲飛向你招邊,　　　　505
道我相思的苦意,
望着藍天的飛鳥,
又恨我身無羽翼."
她見那少年聲聲,
"愛人,你可也知道,　　　510
我望着流水行雲,
在他鄉幾回嘆息!"

她靜靜的在林側,
望着年青的萊德.
她的嘴脣玫瑰花
一樣紅.他的頭髮,　　　515
風信子那麼的黑.
他的面目在月下,
却像象牙樣清白,
對着他愛人時時,
現着歡悅的顏色.　　　520
而他的愛人露絲,
默默的并不說話,

（ 28 ）

只坐在他的身邊，
望着月下的湖水，
微微的笑着顯着　　　525
一種靜穆的情思，
正如一個美麗的
愛的女神薇娜絲．
她望着這對愛人
愈感得自己寂寞．　　530
愛人的情話纏綿，
愛人的香澤瀰抱，
愛人的歡娛幸福，
于她，只變成苦惱．
憶起稚年的歡情，　　535
她禁不住要哭了．
這時候月光已暗，
湖水幽幽的，也似
奏着可憐的哀調．——
她正在臨風嘆息，　　540
欲訴語，訴語無處，
又見那妙年兒女，

（29）

雙攜着手兒,笑語,　　545
盈着雲裏的嫦娥,
慢步,向山莊囘去.

湖畔的愛人去了.
湖山愈覺得淸寥.
仙女也囘到松林.　　550
但今夜她知道了,
愛比哲學還聰明.*
比仲夏的含露向
晨星開着的玫瑰
還要美麗,還溫馨.　　555
比徵風還要柔和,
比海水還要湛深.
天上萬古常圓的
明月不及她淸新.
她今夜知道了,是　　560
愛在妙年男女的
血流里奏着歌吟;
開着青春之花朶,

（30）

在一切生之底心.
隊隊少年的男女
便是她,愛的化身.　　　565
她今夜是知道了,
世界上沒有一個
男兒,他不善鍾情.
世界上沒有一個
女孩,她不善懷春.　　　570
有的,除非她自己,
在這陰寂孤憐的
松林里,十多年來,
獨自一人啲伶仃!

她想着想着,想着,　　　575
那個美麗的少年,
他是這麽的多情,
他是這麽的纏綿,
伴着心愛的戀人
同在月下的湖邊.　　　580
她想她要是有個

（31）

多愁的人兒她心
中的愁思便化作
黃昏時分的炊烟,
這可怕的松林喲,　　　　585
便成爲萬花開着,
好鳥啼着的春天.
她想着想着想着,
紅日高照到松林,
林中的鳥兒唱着　　　　590
晨歌,她還未睡眠.

向午的日頭照着
湖畔的叢林清靜.
帶着遠山的啼鳥
恍惚似一個淵默　　　　595
太古時代的夢境.
仙女自山上走來,
又看見萊德坐在
露絲身勞,笑對着
那些馴善的羊羣,　　　　600

（32）

談着海外的風趣，
古代羅曼的情話，
荒奇怪異的珍聞，
會心處笑語殷殷。
日光從林梢射下，　　　　　600
更在他倆的身上
散着均勻的素影。
林畔的溪水也似
唱着快樂的闋子，
和着愛人的話聲。　　　　　605
她又看見那萊德
采着藍色的小花，
為露絲佩上衣襟。
并且說，"愛人為你，
我采這枝莫我忘，　　　　　610
佩在你愛的胸前，
插在你青絲髮上。——
此花豔麗如明星，
此花香澤又溫馨，
願我二人的愛情，　　　　　615

（33）

　　如牠這般的芬芳，
　　如明星般的久長．
　　我願如日耳曼的
　　　騎士，爲他的女郎；
　　采此多情的花朵，　　　　　630
　　不惜碎身于山阒！"
　　牠又見露絲低低，
　　說道，"謝郎的善意！
　　願長佩着莫我忘，
　　牠的溫馨與香澤，　　　　　625
　　浸潤着我倆心腔！"
　　牠又見露絲說道，
　　"儂的心啲，早馴服，
　　馴服如這羣羔羊；
　　但願你是牧羊郎！"　　　　　630

　　仙女也暗自思量，
　　"儂的心啲，早馴服，
　　馴服如這羣羔羊．
　　只要你是愛你啲，

（34）

我比羔羊還馴良！"　　　　　（635

這時候天上太陽.
照着林外的園田,
正如昏黃的月光,
照在雅典的森林,
那麼的清靜自然.　　　　　640
露絲看着羊羣兒,
隨着溪水的流音,
彈動曼陀璘琴絃.
萊德正睡在林間.
仙女幻化爲蝴蝶,　　　　　645
振翅輕飛到林邊,
采着神秘的愛燗,
輕唱着歌兒催眠,
露絲并不能聽見:
　　"願寇必德的金箭,　　　　650
　　射你靜止的心絃——
　　心絃上迸裂情慾!

　　"願愛屬花的愛汁,

滴你睡夢的眼簾.——
由你眼簾到心田！　　　　655

"更願你坦放心扉，
容受我無邊情愛，——
同藉青春的永在！"

于是，她便把花汁，
仔細的滴在萊德　　　　660
睡夢似也的眼內，
露絲并也不覺得.
她坐在萊德身旁，
望着湖面的太陽.
她不知道那仙女　　　　665
早喚了一羣山狼，
跑來咬她的羔羊.

當露絲去救羊羣，
萊德便閗聲醒了.
只見仙女裸體的　　　　670
伸着兩手立在仙

（36）

身旁,向着他微笑,
并且說,"我如玉的
雙臂,能環舞如鳥·
我玫瑰似的嘴唇,　　　675
能唱萬囀的情調·
更有處女的乳峯,
蘊藏着青春華妙·
更有情熱的胸心,
更有溫柔的股肢,　　　680
你可以陶醉擁抱,
你可以眞個魂消·
如果你是爱我哟,
我便帶你到仙島,
那兒花好月長圓,　　　685
那兒的青春不老!"
說着,向萊德手招·
而她善睞的眼睛
更如五月的'明星
在碧紗天上閃爍·——　　690
香檺般香的勁盪,

（37）

醇化着肉的顫跳,
她那玉琢的乳峯,
她那肥白的雙股,
她那溫柔的細腰,　　　　695
怎麼不擁抱醉倒:
可憐的萊德見着
這通常而神秘的
肉的色與香的光,
他的世界毀滅了.　　　　700
(何況愛嫻迷惑着.)
他心頭只在突兀,
他血流只在奔叫.
啊,靑春的美酒,且
管他一杯罷,無論　　　　705
是醇釀,還是毒醪!
何況她這麼多情,
何況她這麼窈窕!
紫羅蘭一般的肉,
無花果一般的香,　　　　710
拚個醉倒也今朝!──

（38）

可憐萊德的世界
早已毀了.他如何
知道,可憐的露絲
正趕着羣狼,一人　　　　715
獨自,遠山的深圴

仙女勝利了.擁着
萊德走出了叢林,
怨着半天的雲翳,
尋找他倆的仙島,　　　　720
在那里溫存偕老.

飛,飛到日暮時分,
到了東方的海上.
他們止宿在海濱.
夜來風吹着海水,　　　　780
揚着澎湃的潮音.
海邊林里的羣獸
應着可怕的吼聲.

（39）

萊德與仙女不能
睡,只在肉跳心驚.　　　　730
黑暗恐怖與煩惱,
斷續的一一來臨.
她知道有今日的
愁苦,她一些也不
懊悔當日的多情.　　　　735
漫漫的長夜過了.
東方的海上,忽然
呈現出一種慘白
銀灰可怕的顏色.
少時海濤便平靜.　　　　740
林中野獸的吼音
也沒夜來的悽切.
無數的海鷗海燕
羣向着海中飛揚.
海水微微的波着　　　　745
閃起天上的霞光.
遠遠的孤島一個
盪漾在海水中央.

（40）

海巳太平天巳明,
世界仍是那麼的　　　　　750
新鮮那麼的寬朗.
仙女與她的萊德
便飛到那個島上.——

　"海巳太平
　天巳黎明.
　晴黑去了,　　　　　　755
　明光復生.
　我們歌唱,
　歌唱太陽,
　贊美大淨,　　　　　　760
　舞蹈晨光.

　,,啊啊,
　天上的太陽!
　感謝你輝光,
　照澈了,　　　　　　　765
　我們的肉體,
　　　金黃!

　"啊啊,

（41）

無限的海洋！
感謝你鼓浪， 770
喚醒了，
我們的酣夢
一場！

"啊啊，
燦爛的東方！ 775
感謝你晨光！
照臨着，
我們的家邦，
安康。"
島上的兩個寧芙 780
正對着黎明的海，
歌頌初升的太陽，
看見仙女與萊德
并坐在海島之上，
他們奇異又驚惶， 785
便翻身投入海洋。
海水微微的波着，
閃着輝煌的金光。

（43）

海島上靜默孤寂，
只有海鳥在飛揚，　　　　790
森林里深邃無人，
只有怪獸在來往．
此地不可以久留，
仙女心里自思量．
她于是帶着萊德　　　　795
重向雲霧中飛航，
重向雲霧中找尋，
想找個多情地方，
在那里安老溫存．
可是，安老的情鄉　　　　800
在何處？下界只是
晶瑩無限的雪野，
只是嵯峨的層冰．
凍鳥自空中墜下，
餓獸向悲風哀鳴．　　　　805
或是陰寂的平原，
埋着榮榮的邱坟．
或是枯寂的深山，

（43）

長林陰鬱而無人.
或是狂濤的大海，　　　　　810
打着萬丈的潮音.
怒吼着雷霆暴雨，
彷彿是地裂天崩.
但是她並不失望，
她也不悔傷悲悼.　　　　　815
任冰原狂風怒號，
任海水揚着慈濤.
任便他山高水闊，
任便他地遠天遙.
她只和她的愛人　　　　　820
傍着半天的雲霧，
雲霧中往來尋找.
她相信在這世界
終'有個愛的處在!
人們的不能尋得，　　　　　825
只是爲了他們沒
有鑠石消金的誠，
和感天應地的愛!

（44）

他們在雲中飛行，
在雲中日夜找尋．
經了多年的歲月，　　　　830
受了萬般的苦辛，
飛過天地的盡頭，
最後，到夢之幽林．——
一個世界的仙鄉，
一個太平的夢境．　　　　835
那兒長居着春天，
那兒長照着衆星．
林樹兒開着好花，
好鳥在樹枝上，長
唱着牠們的歌吟．　　　　840
從雲霧中流來的
忘川，夜日的奏着
催眠歌似的流音．
于是，仙女便卜居
在這多悄的林中，　　　　845
與她的愛人萊德

（46）

同度寧靜的光陰.
可惜萊德早歇了
那忘川里的流水,
早忘了人間世塵.　　850
早看海上的晨曦,
暮聽打槳的潮聲,
他如何知道他的
露絲望穿了秋水,
又唱着別離哀歌,　　855
朝朝夜夜的盼望,
盼望着她的歸人.

玫瑰花不能永久
開放着,永久芬芳.
碧晴天上的嫦娥　　860
不能夜夜放着她
潔白寧靜的銀光.
人間的好光陰,啊,
又那里能够久長?

（46）

世界上從來沒有　　　　865
永遠不變的愛,又
那有不老的青春?——
啊,青春,她不過是
感傷的一個幻影.
并不是她不美麗,　　　　870
并不是她不多情.
只是她去時候,只
留下些冷寂淒涼,
全沒有半點溫馨.'
青春,一個感人的　　　　875
謎語.猜破了時候,
人們的歡娛快樂,
——都爲她消殘.——

風之使者從海上
飛來,看見仙女與　　　　880
萊德居着在幽林.
她不禁驚駭.他想
古昔時候的世界

（47）

給不肖的亞當和
夏娃的那些子孫　　　　885
援破了大自然的，
神造的昇平．而今，
這慈祥的夢境又
居着可怕的生人．
他想，將來的時候　　　　890
又當一樣的互相
殺戮恣意的荒淫，
上天下天，儘是的
奔走，拚命的鑽營．
把這美麗安靜的　　　　895
世界叫援個不清．
風之使者越想越
恐怖慿駭．他不能
不喚起嚴霜，冷雪，
和冷酷無情的冰，　　　　900
把這被損的林原
暫時冰化成一個
冰川時代的紀墟．

（48）

他要驅去了那對
男女,再回復牠的   905
美麗,永久的寧靜.

幽林的春天去了.
好鳥失了她歌音.
花朵萎謝了.原林
蒙着晶瑩的白雪,   910
忘川也結着深冰.——
羅曼的日子散了,
昔日蔚藍的海天,
也變成銀灰顏色.
可憐的情侶,只得   915
丟了故舊的林屋,
又飛向天涯尋找
他們終老的歸宿.

他們離了被幸福
棄却的夢之幽林,   920

（49）

想着半天的雲霧，
飛過了千山萬水，
重尋他們的歸路．

飛過了萬水千山，
他們迷失了途路．   925
正在迷惑的時候，
遇着命運的使者，
打他們身邊走過．
于是仙女便哀求，
向使者再拜申訴，   930
"主啊,只在這世界，
你給我住在何所!"
慈祥的使者笑道,
"這任你們的心意，
世界上三個地方   935
'將來','現在'和'過去'．
三個地方是永久
各不相同.我可以
任你們選擇一處!"

（50）

仙女與萊德聰着,　　　940
便急不思索的說,
"'過去'我們願同居!"

于是使者便領着
他們,到一個地方.
那地在死海之旁,　　　945
長居着鬼與坟墓.
天地陰暗而悲慘,
日月與衆星無光.
海唱着喪葬之歌,
原野滿堆着白骨.　　　950
山林暗熙而悲哀,
悲風日夜的號呼.
他們失望了.可憐,
他們又夢想,'將來'.
以爲'將來'的地方,　　　955
那兒的春天長在,
那兒的好花常開,
可以使他們快樂,

（51）

可以稱他們心懷.

經了悠久的光陰,　　　　960
長途奔飛的苦辛,
使者帶領着他們,
在雲霧之中飛行.
飛過天外的高山,
山上流着的白雲,　　　　965
雲中閃耀的衆星,
衆星照着的平原,
平原盡處的山林,——
上面尋遍了天界,
下面尋遍了地帶,　　　　970
只是,那‘將來’還是
不知在何處存在!

經了悠久的飛奔,
經了長途的苦辛,
在生命的長途中,　　　　975
夢想‘將來’的人們,

（52）

只得了失劇悲哀．
可憐他們又央求
使者，"顧居在'現在'!"

慈祥的命運使者　　　　　980
于是帶領着他們，
飛過了東方之海，
經過了雪野層冰，
仍囘到萊德故鄉，
湖畔山上的松林，　　　　985
并且說，"迷惑的人，
'過去'已經是去来，
'將去'是不可知道，
可靠的只有,'現在'
這便是'現在'!" 說了，　　990
便駕雲囘上蒼昊。
仙女與萊德便止
留在往昔的舊巢．

他們離去的時候，

（53）

正是八月的初秋.　　　　　995
今日他們重回來,
巳隔了七個年頭.
但是,別來的松林
依舊是那麼清新,
水還是那麼悠悠,　　　　1000
山還是那麼青青.
但萊德并不知道,
這便是故國山林,
山下還居着他的
露絲,可憐的愛人!　　　　1005
只是與仙女居着.
和在夢之幽林樣,
同度醉夢的光陰.
但仙女想着當年
情趣,却時在哀吟.　　　　1010

這正是九月初頭.
羅曼中夏的繁華
巳隨了夕陽西殞.

（54）

湖山染遍了新秋.
天上牛弦的新月,　　　　　　1015
穿過了松林針葉,
照着林中的情侶,
在那里訴說哀腸.
仙女囘想着當年,
對着別來的湖山,　　　　　　1020
不由的淚滿心腔.——

"郎呦,好的日子,是
烟一般的散去了,
不,又不能不囘想,　　　　　　1025
想着啊,我便心跳!——
說宇宙是無情罷,
華麗的明星却在
碧晴的天上閃耀.
說造化是愛的罷,　　　　　　1030
那無涯的海水,又
唱着孤獨的悲調.
若說人間是夢幻.

（55）

為甚生命的音波，　　　　　3015
又在我心頭顫叫？
青春長在，為甚月
不長圓，花不長好？
愛是不磨滅的嗎？
為甚麼夢之幽林，　　　　　1040
變成了冰天雪窖？

"記得我倆在那里，
那時候春滿海天，
那時候花滿林郊，
風送着鳥音如簧，　　　　　1045
花開着山原如笑。
朝日融融，我倆的
希望可也就不小！
但是，希望在何處？
郎喲，牠如今逃了，　　　　　1050
隨着春天的美麗，
隨着中夏的夕陽，
向行雲流水跑了。

（56）

即使馳沒有逃走，
也要像一朵花樣　　　　1055
也久已枯了焦了．
不，又不能不囘想，
郎喲，那羅曼舊事，
想着哪我便心跳！"

"羅曼的日子去了．　　　1060
你再嘆息也無益．
罷了，只記在心里．
可憐我倆的常年，
不過今朝夢里的
幽思，醒時的嘆息．　　1065
我們的年光不能
倒流，我們的華年
消失了，不能追憶．
啊，愛人喲，我們的，
光榮，我們的美麗，　　1070
早已隨着我們的
青春，把我們抛棄．

（57）

我們今朝啲,今朝,
只有酸辛的眼淚
來安慰我們自己.——　　　1075
過去的年華去了,
我的愛人啲,請你,
再莫把牠們提起!"

"可是,爛漫的當年,
越想越不能忘記.　　　1080
從前的希望雖已
枯了,焦了.但一個
新生又在儂心里:
儂願有一天,重飛
上雲中,找個處所,　　　1085
在那里儔郎長聚.
那怕那兒冰雪是
一萬丈厚,那兒的
海浪直打到天際,
儂也當甘心塌地!"　　　1090

（58）

"是也,我的愛人啲,
那怕那兒最悽涼,
那怕那兒是窮荒,
我們如果居着啊,
那兒,卽不是天堂,　　　　1095
必也是人間福地,
安老溫存的情鄕!"

這時候已近中夜,
空山里鳥雀無聲.
只銀灰色的月光　　　　1100
照着幽密的松林.
松林里恍惚如夢,
惟聞仙女與萊德
在那里嘆息舊情.
在睡夢的湖山里,　　　　1115
他們繼續的語音,
正似夢語在呻吟.

（59）

忽然,一個白髮的
老人,自西邊天上,
慢慢的下來,立在　　　　1120
松林盡處的山岡,
他只靜靜的立着,
在山頭四顧盼望.
他的鬚眉與衣裳,
雪一樣,映着月光.　　　　1125
"女孩兒,你在何方?"
他立在山頭'忽然
很奇異的叫喊着.
隨着四山的囘響,
他那呼喚的聲音,　　　　1130
愈覺得分外清朗,
"女孩兒喲,歸來罷,
我帶你重上天堂!"

仙女聽得是她的
老父在呼喚,她說　　　　1135
不出她是如何的

（60）

快樂,悲傷又恐慌.
終于帶領着她的
萊德,走上了山岡.

看見年青的萊德,　　　　　1140
仙女的老父問道,
"這男子是誰?豈也
能帶他同上天國?"
仙女聞言便跪下,
在嚴靜的天空下,　　　　　1145
向老父拜禱申訴:
"這男子是女兒的
七年以來的伴侶.
他是個忠實的人.
他爲了我的凄苦,　　　　　1150
在松林與我同居.——
他雖不能到天國,
父啊,你該可憐你
馴善的女兒,今兒,

（ 61 ）

　　也不願到天國去.”　　　　1155
　　老父不由不驚異：
“孩兒喲，你當思量，
　　你謫居之期已滿，
　　應即棄却這山林，
　　儕老父重返天上!”　　　1160

“父啊，我願在人間!”
　　仙女哀哭着回言，
“我爲了我的愛人，
　　我不樂天上.人間
　　究又何異于天鄉?——　　1165
　　鳥音一樣的悅耳，
　　花草一樣的幽香.
　　山青青又水悠悠，
　　我同了我的愛人，
　　儘可以自在徜徉!　　　1170
　　父啊，你該可憐你
　　昔日馴善的女兒，
　　已成了愛的羔羊!

（63）

巳不知道那里是
人間,那里又天堂!"　　1175

"孩兒哪,你該知道,
天界條律的森嚴.
你若是不返天上,
卽在人間,也不能
便任你寧靜安閒."　　1180
智慧的老父笑道,
"最好,你先返天上,
我爲你訴禱上天,
請求你的愛人,也
列名仙籍,那你們　　1185
可以安穩的居着,
同度歡樂的華年!"

在嚴靜的天空下,
仙女與萊德同向
老父深深的拜倒.　　1190
"兒願偕父返天上,

（63）

但是,求老父爲禱
上天,使兒的愛人
萊德,也列名仙曹.
在天上,我們偕老!"　　　　　1195
"好好,孩兒,我和你,"
老父扶起了萊德,
更扶起仙女,微笑,
"先起程,天快明了!"——

"愛人喲,不能囘首!　　　　　1200
七年前湖畔林中,
記我倆相遇綢繆.
那夢之幽林裏的
鳥語,忘川的流香,
東方之海的盡頭,　　　　　1205
我倆曾幾度徜徉?
我倆曾幾度遨遊?
可是,蹉跎到今朝,
舊情盡付了東流!

（64）

今日里我倆分手,　　　1210
那羅曼的日子喲,
你也深深記着否?"
天上半弦的新月
早巳落下了西方。
湖山染了層灰白.　　　1215
天上星星稀稀的,
現着薄明的曙色.
殷靜的天空之下,
仙女流着晶瑩的
眼淚,和萊德她的　　　1220
愛人,哀哀的告別:
"愛人喲,你當該在
這松林里頭候守.
待我歸來的時候,
我帶你同回天上,　　　1225
在那里我倆偕老,
把舊情再說從頭.
別了,愛人喲,珍重,
雖然,我分飛不久l"

（65）

"別了,愛喲,你記着　　　　　1230
我密意深情一縷,
我們的分飛不久!
可是,那白雲深處
愛喲,你再莫凝眸!——
鎖不斷滿目湖山,　　　　　　1235
放不落滿懷離愁.
別了,我當在林中,
守待你歸來時候.
可是,你莫學天上
行雲,湖中逝水也　　　　　　1240
東流,一去不回頭!"

仙女與老父去了,
嚴靜的天空之下,
只賸有萊德一人.
晨星散了,天明了,　　　　　　1245
可憐的萊德獨自

（66）

慢步着回到松林.
林鳥兒唱着晨歌,
應着他嘆息聲聲.——
羅曼的日子散了,　　　　　1250
你有輕唱與哀吟.
晨星雖然是落了,
留有閃爍的光明.
玫瑰花雖然謝了,
臍有戀人的溫馨.　　　　　1255
卽使琴弦彈斷了,
還有顫戰的餘音.
可憐的萊德,他的
情侶別了,羅曼的
日子,戀好的舊情,　　　　　1260
如何不不在他那
善感的心中交鳴?

（67）

第
三
部

光陰似流水一般，
叢桂着花的時候，
秋風又回到江南.　　　　1265
可憐的萊德只在
陰寂寂的松林里，
守待他仙女回來.
望着天上的白雲，
想念雲中的人兒，　　　　1270
幾回清淚落心埃.
最可憐薄暮時分，
空山里秋雨濛濛，
打着陰寂的松林，
添上了幾種清寒.　　　　1275
他只無聊的守着，

（68）

守着他愛人歸遠.
可憐他一向歡娛,
在夢里也未知道,
'別時容易見時難.'　　　　　　1280
往日的密意深情,
到今朝風淒雨冷,
到今朝天上人間.

白雲一堆一堆的,
在天上輕拍飛怒.　　　　　　　1285
紅葉一片一片的,
在山中醉歌漫舞.
料峭的西風却在
廣漠的原上號呼.
十月的蕭條到了.　　　　　　　1290
可憐的萊德只在
松林里獨自慢步.
山風去了,吹着那
離離的秋草,也爲

（69）

久別的人兒絮語.　　　1295
山風來了,便送着
曼陀璘琴音,彷彿
依稀,自遠山深處,
似曾相識的引起
他說不出的情緒.——　　1300

　"願把一寸心,
　付與受陀璘,
　彈着可傳歌,
　寄與心愛人!

　彈着可傳歌,　　　1305
　寄與心愛人.
　心愛人何處!——
　山上白雲深.

　心愛人何處?
　山上白雲深.　　　1310
　願為雲中鳥,
　飛到愛人身!

（70）

願為雲中鳥，
飛到愛人身。
雲深人不見，　　　　1315
儂心無定處。

雲深人不見，
儂心無定處。
願把一寸心，
付與受陀璃。　　　　1320

"更把我衷腸，
付與桂花香。
桂花如黃金，
澹澹吐芬芳。

桂花如黃金，　　　　1325
澹澹吐芬芳。
好風天外來，
送與邇別耶？

好風天外來，
送與邇別耶。　　　　1330
耶今在何所！
流落在他鄉？

（71）

耶今在何所？
流落在他鄉！
錢桂發花時，　　　　　　1335
儂心在悲傷．

錢桂發花時，
儂心在悲傷，
更把我衷腸，
贈與桂花香！　　　　　　1340

更把方寸地，
投入紅葉里．
紅葉舞西風，
吹到天涯去．

紅葉舞西風，　　　　　　1345
吹到天涯去
天涯復地角，
道我相思意．

天涯復地角，

（72）

道我相思澈．　　　　　1350
相思澈如何，
終身是相憶．

相思澈如何，
終身是相憶．
郎心如真金，　　　　　1355
儂心非薦席．

郎心如真金，
儂心非薦席．
更把方寸地
投入紅葉里．　　　　　1360

"再把我苦衷，
送入月明宮．
明月照天下，
彷彿見郎容．

明月照天下，　　　　　1365
彷彿見郎容．
郎心無改節，
清夜來夢中！

（73）

耶心無改節，
清夜來夢中.
儂也如明月，　　　　　1370
晶瑩澈太空.

儂也如明月，
晶瑩太澈空.
願耶心與腑，　　　　　1375
晶瑩一樣同.

願耶心與腑，
晶瑩一樣同.
再把我苦衷，
送入月明宮.　　　　　1380

"還把我思量.
你與我羔羊.
羔羊見吃草，
不吃衰我忘.

羔羊兒吃草，　　　　　1385

（74）

不吃芟我忘,
如何羔羊兒,
不見牧羊郎,

如何羔羊兒,
不見牧羊郎. 1390
問羊羊不知,
儂心自悲傷.

問羊羊不知,
儂心自悲傷. 1395
帶着羔羊兒,
仍往舊時場.

帶着羔羊兒,
仍往舊時場.
逗把我思量,
答與我羔羊!" 1400

萊德聽着那山下
聲聲曼陀琳琴音,
他當年的影事,又
向心頭一再來臨.

（75）

"可愛的心絃流瀉　　　　　　1405
來的愛的哀音嚹,
是我當年的情調,
是我往昔的歌吟,
這是我七八年來,
醉生夢死的歡情?"　　　　　1410
他深深的嘆息着,
他深深的思量着,
愈覺自己的悵淸,
更捱不住松林的
寂寞思量去找尋.　　　　　　1415
尋那可憐的歌調,
找那哀婉的琴音.
可是,何處是歸路,
可憐的他早飲了
那忘川里的流水,　　　　　　1420
早忘了他的歸程.
他聽着琴歌往故,
欲追尋不知何處,
只躊躇着在松林.

（76）

"天上的行雲喲阿，　　　1425
　消了還聚.
　湖中的流水喲阿，
　高了還低.
　只有我的愛人兒，
　去了不歸!——"　　　1430

哀歌在山下唱着，
萊德在林中躑躅.

"盼望，盼望到今朝，
　今朝紅葉兒又飛.
　紅葉兒又飛　　　1435
　愛人喲，
　你說也，
　紅葉兒又飛，
　你同也，
　你同也不同?"　　　1440

歌聲愈唱愈悲哀，
萊德愈聽愈悽清.
不知何處是徑路，
可以走出這松林.

（77）

只是惝恍迷離的，　　　　1445
在林中躑躅來去，
歌聲縈繞着心魂．
他見林邊藍色的
小花靜靜的開着，
點綴着松林靜寧．　　　　1450
他無聊奈的采了
一枝兒佩上衣襟．
忽然！如大夢初醒，
晴天里來了雷霆！
他極沈痛的叫着，　　　　1455
沒頭沒惱的跳着，
熱淚如雨般落下，
血流如海樣狂奔．
"這豈不是莫我忘？
啊，我辜負了我的　　　　1460
露絲了，我的愛人！
你好孤苦啊，你好
悲哀啊，你好伶仃！
啊，我辜負了你了！

（78）

我可憐的露絲啊， 　　1460
辜負你萬種思量，
辜負你滿腔熱情！
唉，我可憐可愛的
露絲，我辜負了你，
你羅曼的夏天喲， 　　1465
又你處女的青春！"

"天上的行星喲，喔，
築了逗消。
湖中的流水喲，呀，
低了逗高。 　　　　　1470
只有我的淚珠兒，
流到今朝！——
今朝已七個年頭
可憐我淚珠兒流。
我淚珠兒流， 　　　　1475
愛人喲，
你說也。
我淚珠兒流，
裊流到，
流到幾時休！" 　　　1480

（79）

"好悲哀的歌音哟,
你又獨自在山下,
彈着你的曼陀璘!
唉唉,我的露絲啊,
我拋棄你七年了,　　　　1485
任你在淚海飄零!
我辜負你也,唉,你
快莫為我流淚喲,
我早負了你苦心!
唉唉,我啊,唉,我啊,　　　1490
我這薄情的人兒,
如何是還在偷生!"

他走着,叫着,跳着,
狂熱良心的淚水
早已濕透他衣巾.——　　　1495
唉唉,塵化的人間,
有幾個白熱心心?
只是那會掉淚的,

（80）

他總還是個好人！——
可憐他七年夢夢，　　　　1500
直到今朝，才知道
這便是故國山林。

　"天上的行雲朵啊，
　　消了還聚，
　　湖中的流水朵啊，　　1505
　　高了還低，
　　如何我的還別人，
　　沒有歸意？——"

萊德望着露絲在
山下的林邊，仰頭　　　　1510
望着天上的行雲，
低頭流着淚珠兒，
獨自和淚在哀吟。
那種可憐的情調，
再也分辨不出是　　　　　1515
淚珠聲，還是歌聲，
還是當年湖畔的

（81）

那曼陀瑯的琴音?——
只是一片血和淚,
只是一片淚和心,　　　　1520
只是萬般的苦惱,
只是千樣的哀愴,
併作了一片交鳴,
一聲聲,一聲聲的,
和着淚珠兒滴滴,　　　　1525
點點彈上曼陀瑯!
一聲聲高了又低,
一聲聲又一深深.——

"思念,思念到今朝,
今朝思念的情味,　　　　1530
思念的情味,
愛人呦,
你說也,
思念的情味,
你知也,　　　　1535
知也知道未?"

（82）

露絲唱罷了,回過
頭來,忽看見萊德
流着晶瑩的淚水,
呆呆的立在林側.　　　　1540
她禁不住熱淚如
潮樣奔來,禁不住
心中的顫跳,突兀.
叫道,我的萊德喲,
怎樣你已經囘來!"　　　　1545
但萊德說不出話,
只呆呆的望着她.
可憐她怎麼悲哀,
是不是我的萊德?
怎麼也立在林埃?"　　　　1550

"我的露絲喲!咳咳."
萊德叫了她一聲,
便急急跑上山崖.
秋風在山頭呼號,
白雲在山上飛跑.　　　　1555

（83）

萊德獨自一人在
山中,對自己說道,
"唉,我的露絲啊,你
原諒我辜負你了.
可憐我被那女妖　　　　　　1560
迷住,便把你忘掉.
七年來醉生夢死,
只任你獨自傷悼.
但是,可憐的露絲,
你知道,萊德待你　　　　　　1565
一番白熱的苦心,
到今朝還沒更嗣."
說了,淚眼汪汪的,
他便慢慢的走到
懸崖之邊,欲投跳,　　　　　　1570
忽寇必德的歌聲,
遠遠的來自天郊:

"飛飛,我來去雲中'
飛飛,我掮箭張弓.

（84）

搭箭射人間心坎，　　　　1575
可憐的養女養男，
他們一見血和淚，
便叫着痛苦悲哀，

"啊，你可憐的弱者，
要知道痛苦悲哀，　　　　1580
原是戀情的犧牲。
要知道血痕淚滴，
原是歡愛的明晶。
雖是她心冷如鐵
你有火樣的熱情，　　　　1585
雖是你生離死別，
她仍是你的愛人．
你莫因一念之差，
便辜負千載苦心！

"啊，你可憐的弱者，　　　　1590
你要把所有的血，
都獻與你愛之神·
"啊，你可憐的弱者，
你要把所有的淚，
都獻與你愛之人．　　　　1595
"啊，你可憐的弱者·

（85）

你要了解戀愛呵，
你須把你所有的
淚和血，一一的都
獻與戀愛作犧牲！　　　1600

"飛飛，我來去盟中，
飛飛，我搭箭張弓．
我箭射海你心埃，
可愛的善女善男，
為你自已的前途，　　　1605
請忍受痛苦悲哀！"

白雲在天上飛跑，
秋風在山頭呼號，
歌聲在雲中唱着，
萊德出神的聽着．　　　1610
他狂奔的心潮，已
慢慢的平了下來，
他尋死的意念也
就烟一般的散開．
若有所思的，回身　　　1615

（86）

離開了萬丈懸崖，
望着多雲的天上，
嘆道，"天上的主宰，
你如果眞有英靈，
便把我這個弱者，　　　1620
帶到平安的地界．
在那兒，我和我的
愛人安穩的居在．"
說了，便轉身奔下
山來，到叢林深處，　　　1625
找尋他的露絲．但
露絲是早已囘去．

露絲心里自思量，
世界上再沒有像
這樣簿倖的兒郎．　　　1630
七八年來爲了他，
朝夜的盼望念記，
把淚水洗洒心腔，

（87）

盼望盼望他歸來.
誰知他今日歸來.　　　　　1635
他又變換了心腸,
倒不如早自死了,
免得為了他,再受
那無窮盡的哀傷.

露絲欲投繩自縊,　　　　　1640
恰萊德山上奔來.
"啊,露絲,快莫悲哀,
我萊德已經歸還.
我知道你孤苦啊,
但是你也該知道,　　　　　1645
我待你一片真心,
七年來從未更闋."

"我為愛而生活,沒
有愛,我情願死亡.
我的愛已經回來,　　　　　1650
只要他不變心腸,

（88）

他仍舊是我的愛.
郎使是死別生離,
我又有什麼悲傷.——

"郎呀,你別來何處?　　　　1655
七年來浪蕩何如?"
露絲眼淚汪汪的,
向萊德哀哀訴語,
"郎呀,你知不知道,
可憐你年老母親　　　　　1660
三年之前已死去?
可憐她望你回家,
望到今朝,冷清清,
西山下一人獨居."
萊德聽說他母親　　　　　1665
三年之前已死了,
他不禁淚水涔涔,
中心如石杵在搗.
望着可憐的露絲
說不出如何悲悼.　　　　　1670

（89）

"冀只哭泣了,郎喲,
你不知道,我和你
母親倆夜夜朝朝,
哭,已哭了多少年!——
趁夕陽還在西天,　　　　1675
我領你到西山下,
母親的墳墓旁邊.
你且去安慰她,她
年來的盼禱,思念.
她若是知道你已　　　　1680
經囘來,她靈魂也
快樂,雖然在九泉!"

太陽快下山,天色
慢慢的由白轉黑.
半空掛着秋暮的　　　　1685
雲霞,火燒着天璧.
萊德與露絲同在
湖畔,慢步着嘆息.

（90）

"郎啊，常你母親在
病重的時候，她只 　　　　1690
淚汪汪的對我說，
我怎麼就能死呢，
我萊德還未回來！"
她更望着我說道，
'露兒'啊，我死了啊， 　　　　1695
你葬我湖畔山崖．
我只靜臥在那里，
在那里盼望我的
萊德，他早日回家，
任那湖中的流水 　　　　1700
奔潮，是無盡無涯，
任那山上的狂風
吹號，是無日無夜，
更任他春去秋來，
更任他鳥啼花謝！—— 　　　　1705
只是你有情于我，
你便來看看我，任
便你在春秋冬夏！'"

（91）

她說着淚下如雨.

萊德不知如何好，　　　　1710

要懊悔,悔懊無處.

只是扶着露絲,向

母親的坟墓走去.

只是低頭的走着，

他心在悲傷,無語.　　　　1715

湖水靜映着夕陽，

夕陽斜照着山坳.

日暮的山風吹來，

吹着衰敗的秋草.

秋草兒勝如有情，　　　　1720

他彷彿唱着哀調.

萊德與露絲雙雙

在母親坟邊哭倒.

"啊,母親啊,你獨自

孤苦,盼望我歸來.　　　　1725

（93）

如今兒子歸來了.
母親,你却又獨自
孤孤的,睡在山坳.
只有那山風在吹
只有那落花在飄,   1730
可憐你生前孤苦,
死後又如此寂寥.

"我可憐的母親啊,
澗魚還愛牠舊水,
林鳥還戀牠舊巢.   1735
母親啊,我豈甘心
伴着碧空的明月,
在異地浪蕩飄搖.
母親啊,你原諒我
爲被那松林里的   1740
女妖迷惑,使我把
生長的故鄉丟掉!

"母親啊,兒子終是

（93）

你的兒子!我如今
囘來了,只是晚了!　　　1745
你還在盼望我麼?
你還在思念我麼?
我今日里的傷悼,
母親啊,你在天的
靈魂,想也該知道!"　　1750

萊德,露絲痛哭着.
晶瑩的淚水,滴滴
點點,直落下心坎.
湖畔的夕陽沒了,
山風呼呼的吹來,　　　1755
湖山暗黑而悲哀.

〈94〉

第
四
部

光陰水一般的流，
紫籐花開的時候
燕子囘來了，湖畔
百花又放着芬芳，　　　　　1760
靜酣酣的湖水，又
映着藍天在邈渺，
平原春草綠綠的，
田郊的大麥金黃，
雨珠兒落下花塢，　　　　　1765
髮成了粉紅的了，
和風自原上吹來，
帶着百花的幽香，
夕陽成了絲的了，
穿過湖畔的垂陽，　　　　　1770

（95）

正又是暮春時節，
江南的春光蔻丈
熱溫溫的擁抱着
多情美麗的湖莊.
正又是多情人們　　　　　1775
歡樂幸福的時光.

仙女獨自在天上，
思念着她的萊德，
朝朝暮暮在憂傷.
一個薄暮的時分，　　　　1780
她絟了天上行雲，
辭了和穆的天鄉
獨自向下界飛航.
她想再飛到湖畔，
回到往昔的松林，　　　　1785
在這多情的春天，
與愛人重話舊情.
可憐她呦，她止望
萊德還是孤孤的，

（96）

在 林 中 守 候 歸 人.　　1790

她 在 濛 濛 的 雲 中,
望 見 萊 德 與 露 絲
坐 着 小 艇 兒,同 在
傍 晚 的 湖 上 盪 漾.
露 絲 彈 着 曼 陀 璘,　　1705
默 默 的,坐 在 中 艙.
萊 德 在 船 頭,望 着
她,一 手 搖 着 板 槳.
彷 彿 還 唱 着 歌 辭,
在 湖 中 迴 環 來 往.　　1800
他 輕 輕 的 搖 着,也
搖 散 了 湖 中 天 影,
和 那 天 上 的 霞 光.

仙 女 望 着,望 着,在
半 天 中 望 着.她 心　　1805
中 正 如 快 刀 在 割.

（97）

她撇棄她的萊德，
忘却往日的恩情，
竟忍心的丟下她，
愛他往昔的戀人．　　　1810
她想她為了他是
受了多少的煩惱，
受了多少的苦辛．
今朝，他竟忍心，把
當年的海誓山盟　　　1815
當年的蜜意深情，
都棄如東流逝水，
都拋如天上行雲．
她望着，想着，望着，
她不禁妒恨着怒　　　1820
在心中交迸飛騰．
她更思量，世界上
昂藏的男子遇着
他心愛的安人，誰
個不馴善像羊羣．　　　1825
如果是沒有露絲．

〈98〉

她不難再得萊德
那火一般的愛情.
她想着,望着,想着,
忽覺得奇恨難禁.　　　　1830
于是,便在半空里
奧起萬丈的狂風,
怒夾着暴雨雷霆.
她要吹覆那小舟,
她要溺死了露絲,　　　　1835
使萊德只能愛她,
使萊德塌地死心.

暴雨在天半橫飛,
狂風在湖上怒叫,
山石彷彿在崩騰,　　　　1840
湖水只是在狂嘯,
迅電不斷的流射,
天地晦暝在勁撼.
可憐春暮的湖莊,

（99）

徒來此雷雨恩暴．ㅤㅤㅤ184ᴏ
可憐萊德與露絲，
囘船也不及聚掉．

仙女在雲中看見，
波濤洶湧的湖里，
一雙兒女在沈浮，ㅤㅤㅤ1850
她的心也死了，也
跳下了萬丈潮頭，
追隨着可憐兒女，
向波心蕩浪飄流．

中夏夜的明星〔插曲〕

中夏夜的明星喲，　　　1855
不轉睛的在天上，
遙遙的，遙遙的，你
望着哪下界何方？
啊啊，你且看，且看
那雲霧中的山丘，　　　1860
山下美麗的河流。
她那淙淙的流着，
風一般的浸潤着
河畔青青的叢林。
叢林兒低頭無語，　　　1863
可否是已自忘情？——

"啊啊，可愛的小河，

(101)

告我，你終日終夜
唱的是什麼詩歌？"
甜靜的夜幕之中　　　　　1870
河畔的一枝小草，
輕輕的這麼問了，
"流過廣漠的平原，
流過靜寂的山岡，
我可愛的小河啊，　　　　1875
你流，要流向何方？
這樣的急迫忽忙。"

于是，夜鶯啼唱着
像皇后一般美的
歌喉，叢林靜立着，　　　1880
伸手，向上天默禱，
可愛的明星都在
穹碧的天上舞跳。

"在那年，那年，一個

(102)

甜美,甜美的夏天,　　　1835
　一個明星明星的
　夜里,”這麼的唱着,
　河畔一枝的白蓮,
“在小河,小河之上,
　我要妙,要妙如仙　　　1890
啊,那可愛的小河,
　好似是我的情人,
　遠遠的唱歌迎我
　隱隱的星光之下
　我瞧見她那梨窩,　　　1895
　梨窩似的臉兒呦,
　含笑迎我,彷彿還
　唱着歡樂的情歌.

“她流波這麼清冷,
　她流音淙淙如琴,　　　1900
　洗滌人世的煩惱,
　陶醉迷夢的靈心.——
　馥芳的南風吹來,

（103）

像我慈愛的母親
輕唱着歌兒睡眠,　　　　　1905
懷抱着我,在一個
美麗多情的夏天.
那時我還在稚年.

"啊,中夏夜之涼風,
明月,慈母之懷中!　　　　1910
啊,我恍惚而迷離,
欲乘風飛去,飛去
浩漫清虛的太空!——

"哦,好的日子,如今,
烟一般的消散了.　　　　　1915
去了,慈愛的母親,
去了,夏夜的明星.
我可愛的小河啊,
她們是不再來臨!"

"去了是當年的你.　　　　　1920

（104）

世界只有這麼大,
便跑到南北東西,
仍是我們相聚地.
從太初直到如今,
上天下地,我仍是　　　　1925
個我喇!" 小河唱了,
在昏黃的夜幕里,
"且莫悲哀,青春與
愛的華年是終要
歸去的,任我去罷.　　　1930
莫作無謂的嘆息!

"唉唉,美麗的白蓮,
你也莫嘆息哀吟.
哦,你天上的星星,
快從雲霧中出來.　　　1935
我流波清冷如冰,
我流香淙淙如琴
可以沐浴作雲髮,
可以陶醉你心情."

(105)

"啊,可愛的小河,你　　　　　1940
　終日不盡的長流,
　那管人間的苦惱?——
　人間的苦惱萬千,
　小河,你何曾知道?"

"我流音淙淙如琴.　　　　　　1945
　啊,更誰倆知道我
　涓涓不盡的長流,
　終日里,唱的只是
　人間現世的哀愁!——
　我流過那美麗的　　　　　　1950
　山丘,山下長眠的
　那些孤寂的坟丘.
　那兒的山原沈靜,
　那兒的竹樹蒼蒼.
　落花兒一片一片,　　　　　　1955
　她們也好似有情,
　隨着我東西飄蕩.

(106)

白雲在天上卷抒，
遊鳥在雲中飛翔．
當我涓涓的流過　　　　1960
那些不相識者的
墓碑，我心不由不
湧起無限的哀愁．——
人生是好如朝露，
天地是長此悠悠．　　　1965
幾多威耀的英雄，
幾多絕世的美人，
又幾多帝相王侯，
你且看啊，我們的
華年，一旦辭去，誰　　1970
又不埋葬在荒丘?——

"啊，天外的青山喲，
山上飛流的白雲．
你雲中的飛鳥喲，
知道不，這纍纍的　　　1975
丘坟，長眠着何人?

(107)

"無人哀的傷心是
訴說不出的傷心.
我是何等的悲傷,
當我涓涓的流過,　　　　1980
流過那白玫瑰花
圍繞的那座新坟.
新坟的墓碑刻着,
彷彿是斑斑淚痕:

這里安眠着牧羊,　　　　1985
美麗.多情的女郎.
無情的風雨之後,
她忠貞的情人,于
一個美麗的春晨,
葬她此小河之旁———　　1990
山之風朝夕恣遊,
花開花落春又秋,
天地是長此悠悠,
河之水日夜長流,
請代訴他倆綿綿,　　　　1995
無可告語的哀愁.

(108)

"我在那天的清晨，
遠見她獨自一人，
若有所思的,望着
我淙淙長流,滿眼　　　　2000
流着淚獨自悲吟.
還在眠夢的曉風
帶着萬花的晨香,
和夢魂兒輕輕的,
在空中來往攝逐,　　　　2005
天上的太陽照着
叢林又照着山岡,
照着她.可憐她呦,
她依舊是在幽傷!
叢林里鳥雀唱着　　　　2010
歡樂悠揚的詩歌,
讚美廣渺的晴空,
更提起了她當年
歡樂的青春之夢.
她只是這般沉思,　　　　2015
也不管曉來山原,

(109)

林樹溪流的美麗.
綴着廣渺的天海,
她只是深深嘆息.
只是這麼的沈靜,　　　2020
在晶瑩的晨光里.

"天上燦爛的初陽,
早巳出自了東方.
照着林樹兒青綠,
照着山原嘟淸朗.　　　2025
照着晴麗的天空,
沥着萬丈的雲光.
照着可憐的她嘟,
她仍舊是在幽傷.

"望着那皇后一般　　　2030
美麗閑靜的白蓮,
滿眼沥着淚水,她
忽地這樣的唱着,
聲音是十分哀憐:

(110)

"輕輕啼不斷的山鳥喲，　　　2030
涓涓流不盡的喝溪流。
唉，愛人喲，你不知道也，
我今日里無限的哀愁！

題花白瀲瀲，
蒼葉絲田田，　　　2035
誰知題心苦，
心苦不能言？

憶昔中夏時，
中心歡且甜，
花晨與月夕，　　　2040
穩悄不羨仙。

誰知造物者，
其心無愛憎，
盛世一朝易，
即是奈何天。　　　2045

秋風天氣涼，
白露冷題痕。

(111)

可憐題子照，
寂寞淚盈房！——

寂寞復寂寞，　　　　　　　　2050
山花開復落，
流水一何深？
芳草一何綠！

聲聲啼不斷的山鳥喲，
涓涓流不盡的嗚咽流．　　　　2055
愛人喲，我隨着你來也，
今朝了却無限的哀愁！

"可愛的星星，你在
天上，不住的閃耀．
可憐牠，你不知道，　　　　　2060
一干人中第一個
美麗的少女，自從
那天，永不再來了．
只在那白玫瑰花
開着，叢林擁護着，　　　　　2065
那墓邱之中酣眠．
在這般美麗多情，

(112)

發皇的夏天,可慘!

"啊,美麗的少女喲,
醒來罷,山上翠花　　　　2070
笑着在迎你,而且
天鶯的歌聲如流霞,
正等待你歸來喲!"

于是,夜鶯啼着她
像皇后一般美的　　　　2075
歌喉,叢林靜立着,
伸手向上天歡扇.
可愛的明星都在
篤碧的空中舞跳.

"小河,可愛的歌者.　　　　2080
我照耀大地長天,
從往昔直到而今,
你知道我是看了
人間多少的變經.

(113)

古代黃金的日子　　　　　2085
牠是早已消散了，
我可憐人間世的
萬千白熱的心心.
天永是這麼高邈,
地永是這麼廣大,　　　　2090
造物本是無情啲.
人間自樂其有生!——
羅曼的日子去了.
便清醒時的歡娛,
便睡夢里的青春,　　　　2095
也無處可以追隨,
也無處可以找尋!
何況往昔的戀好,
何況過了的歡情,
遙遙的已早隨着　　　　　2100
天上的夕陽西沉!

　　"啊,我可愛的小河,
　　你可知道我半夜

（114）

照着枯寂的山岡，
山上寂寞的廟宇，　　　2105
廟宇里那座禪房，
我是何等的悲傷！
我可憐那孤寂的
人兒，當凉風不動，
世界銀灰的時候，　　　2110
他仰望着我和月，
幾度幾度這麼說：

'我要摘個明亮的
星，佩在你的胸前，
更將鵝黃的新月，　　　2115
輕輕的親自倒掛
你髮上，討你歡悦，
那時候初遇着你，
愛人啊，我還記得，
你牧着羊兒歸來，　　　2120
走過明靜的河邊，
'啊，我倆還在稚年！

(175)

'雖然是冬了,萬物
于我,仍似在陽春.
處處都是光和愛,　　2125
處處是美與新鮮.
我這麼的說着,當
我遇着你,在一個
木落人稀的冬天,
彷彿月光也上了.　　2130
那時我猶在稚年!

明星閃鑠的天啊!
假使我是個星星,
哦,我可以照臨你,
照你到你歸宿地.　　2135
假使我是個詩人,
當你在獨坐無聊,
思念着我的時候,
那麼,我詩的妙音
或也可以慰安你　　2140
彷徨無定的心魂.

哦我不是星星的,
我又不是個詩人.

(116)

我是了詩人是了
星星,愛的你今兒,　　2145
又教我何處找尋!
口吻的餘香猶在,
今朝熱淚逬胸心

'唉,恕我罷,我不能
化為了青草,年年　　2150
為你坟墓做衣裳,
化為了天上星星,
夜夜伴照你長眠,
又不能化作小河,
把我中心的苦惱,　　2155
捐我裏憫的懺悔,
唱做哀切的輓歌,
每天每天,愛人喲,
從你的坟邊流過!

'恕我罷,我的愛人,　　2160
我心熱如火,不能
為你弟聖聲搖鈴,
長日價默坐枯窗,
為你弟禱行虔誠,
祈求我佛的法明,　　2165

(117)

慈雲迪萬你亡縱——

'你要我捨去愛念，
要在愛河里沈浴，
要我捨去貪瞋癡，
諸多惡業絕去愛，　　　　　2170
苦海里早日回頭，
回頭來個個超升，
只是，愛啊，我聽着
莊嚴華妙的法鏡，
要渺空縹的鐘聲，　　　　　2175
我總憶起了我們
當年的密意深情，
已毀滅了的青春！

啊啊，愛喲，你說的，
我爲愛而生活，沒　　　　　2180
有愛；我情願死亡。
啊啊，我爲了愛喲，
卽使人間是苦海，
我也情願情願在
苦海里沈淪顛蕩——　　　　2185
我顧得生時的愛，
我顧不得死後喲，

(118)

到地獄·是到天堂！
不解為何偏要我
捨棄一切愛要我　　2190
苦海里早日歸航！——
只是,我的愛喲你
今兒究竟在何方?

'我可惜迷惑醉死,
七年來夢夢混混,　　2195
我為了愛而奔走,
到頭來却不料,只
等到你滿腔熱情,
等到你萬種思益·
你來時與你長聚,　　2200
誰知玫瑰花未放,
蟲兒已花心暗藏·
鑠石消金的愛里,
隱伏著痛苦悲傷·——
春華明媚的湖莊,　　2205
驀地里雨暴風狂·

'可惜你未曾溺死,
你如何自投泉壤?

(119)

我即使是死了嚇，
你何不思量你的　　　　2210
光朵，你的美麗，你
未來的日子遙思。
啊，我多情的女郎，
我牽到你也不只
牽到你思量萬種，　　　　2215
不只你熱情滿腔。——
今朝嚇，兩點風樓，
今朝嚇，人間天上，
只有鏗鏘的清音，
作我的悵深缺況！''　　　2220

于是，叢林都淌下
眼淚，白蓮花無語。
沈靜的夜幕里，只
緩緩的流着小河。
明星隱去了，山原　　　　2225
暗黑，清寥。夜鶯兒
唱着悲切的輓歌。

(120)

"天地的寥廓,
人間的冷落.
唱晨花,　　　　　　　2230
啼夕月,
春日復秋朝,
江南又江北.
我飄泊!
我飄泊!　　　　　　　2235

"我知道,
我寂寞.
我知道,
我飄泊.
有個素心人,　　　　　　2240
又何怕
天地的寥廓,
人間的冷落!

"水悠悠,
山青青,　　　　　　　　2245
素心人,
何處尋?

(121)

"天塊的寂寥，
　人間的冷落，
　我唱晨花，　　　　　　2250
　嘮夕月，
　春日復秋朝，
　江南又江北，
　我飄泊！
　我飄泊！　　　　　　2255

"我的素心人兒喲，
　你，你，
　你究在何處安宿？"

叢林都淌下眼淚，
白邃死灰．哀啼的　　　　2260
夜鶯落下了叢林．
山原暗黑又悽清．
死一樣的夜幕里，
流著小河的哀音．

"我顧帶著人間，　　　　2265

（122）

　　無限的悲哀，
　　流入大海，
　　去去不歸來！

"我願帶着人間，
　　無盡的悲哀，　　　　　2270
　　流入大海，
　　去去歸不來！

'我願帶着無盡，
　　無涯的悲哀，
　　流入大海，　　　　　　2275
　　去去不歸來！

"願一切的悲哀，
　　投入我心埃，
　　流入大海，
　　去去不歸來！"　　　　　2280

　　　　（123）

銀樣的月光〔尾歌〕

"啊啊，銀樣的月光，
早已出自了東方.
照着我獨在林間，
坐在清冷的石上.
我從林隙里望去，　　　　2285
天上有浮雲三兩.
彷彿是上界情侶，
在半空之中來往.
我望着天上星河，
耳聽着秋林清磬.　　　　2290
聽那聲聲的秋虫，
我心不由的悽愴.
感念光陰的迅往，
更添上幾多遐想.——"

(124)

不知過了多少年，　　　2295
一個薄莽的秋天，
正也是黃昏時分，
明豔酣靜的湖邊，
有個流浪的詩人，
吟着往昔的詩歌，　　　2300
獨坐在湖畔林間．
"想那羅曼的夏天，
我的愛人喲，你我
不是曾到這地方？
那時候草多麼綠，　　　2305
野花兒何等芬芳？
蓮花兒紅的白的，
開遍了前面湖塘．
南風吹來的時候，
送着醉人的幽香．　　　2310
我一手倚着林木，
你便坐在那石上．
我們的希望何等
大．世界何等寬朗！

（125）

我們讀着,靜默着,　　　　2315
笑着,不知覺夜露
沾濕了你我衣裳.
那時候誰知你要
死,只留下我悲傷.
今日我舊地重臨,　　　　2320
我是怎樣的淒涼.

"可憐我年來落寞,
二十年在外飄蕩.
風清月白的夜裏,
我每思念着故鄉.　　　　2325
故鄉的女兒如花,
故鄉的鳥語如簧.
天外的山嶽崇偉,
川原平曠又寬朗.
我同了我的愛人,　　　　2330
當山頭新月昏黃,
唱着仲夏之幽夢,
散步在森林中央.

(126)

森林中淵默如夢，
時有夜鶯在啼唱．　　　2335
我同了我的朋友，
坐着瓜皮的小艇，
盪漾在靜平湖上．
湖水微微的波着，
閃着天上的雲光．　　　2340
啊那洞庭湖中的
流水喲，浩浩湯湯，
九疑山上的白雲，
朝夕的飄流飛翔．
屈子在澤畔行吟，　　　2345
他寫成了他的大
著離騷九歌九章．
賈誼他謫居長沙，
他獨自弔古惆傷．
千古來詩人遊子，　　　2350
到此江鄉，他們無
不低徊唏噓來往．
白雲溜漫着衡山，

（127）

長流滔滔的湘江，
千古來蘊藏着的　　　　　2355
故事傳聞是多麼
奇麗又多麼荒唐.
啊啊，我多情美麗
太平靜穆的故鄉.
我羅曼的夢境喲，　　　　2360
我的詩歌之搖床!
年來我意燼如灰，
想念着她時我的
精神便振作飛揚.

"可憐我的愛人，她　　　　2365
今朝已歸了泉壤.
平生的幾個朋友，
他們又走散他方.
只有我不死不活，
死生弟門畔徬徨.　　　　　2370
今夜我獨坐林間，
對月兒重話滄桑.

(128)

不知碧海青天的
明月，她夜夜朝朝，
究看了多少興亡。　　　　　2375

"啊啊，銀樣的月光，
早已出自了東方。
照着我獨在林間，
坐在清冷的石上。
想她純白的光華，　　　　　2380
這時候也該照着
我那故人的屋梁，
也該照着我當年
愛人的墓屋坟堂。
只是，遠別的人兒，　　　　2385
莫也是和我一樣
在流淚心傷啊我
月明的故鄉，是否
依然鳥語又花香？"

和暖的南風吹來，　　　　　2390

（129）

湖水的漣漪重疊,
重疊的漣漪映着
山頭彎彎的新月.
月光瀲灩的中央,
彷彿有人在訴說.　　　2395

"郎唷,記得那時候,
你我同在這湖邊,
水還要清,還要淺.
湖水拍岸的聲音,
好似是陽春歌調,　　　2400
那麼的多情,纏綿.
郎唷,你記否當年
一個薄暮的秋天!

"記得湖濱的夜里,
千萬星星在天上,　　　2405
千萬星星在水底.
西山頭上的新月,
彎彎的照着我,你.

(130)

你還對我這麼說，
'哦,看湖水的美麗!'　　　2410

"七月微涼的時候，
　郎喲,你還指着那
　天上的星星,告我，
　說,'這個便是牽牛!'——
　湖山如夢,我倆還　　　2415
　聽得天河的清流.

"郎喲,如今山還是
　青青,水還是悠悠.
　只是,我倆當年的
　舊事,難再說從頭!"　　2420

"舊事,難再說從頭!
　莫悲哀了,愛人喲，
　莫說水還是悠悠，
　莫說山還是青青，
　山便再那樣傾倒　　　2425

(131)

水便再那樣波濤，
也害不了,唉,愛人,
我倆永生的情好!
莫悲哀了,愛人啲,
你且看哪,回去也,　　　　2430
月兒又快要落了."

詩人的幽夢醒了,
回頭來四顧荅涼.
西山頭上的新月,
已快要落下西方.　　　　2435
幽淡淡的藍空里,
撒滿閃耀的星光.
穿過林梢的密葉,
靜靜的照着詩人
銀灰顏色的衣裳.　　　　2440
照着藍碧的湖水,
清光,在水中盪漾.
照着靜默的湖山,
山下夢里的湖莊.

(132)

這般的沈靜,宛似　　　　2445
一個羅曼的夢鄉.——
詩人沈默無語,還
似聽得湖水中央,
那多情的伴侶,還
在那里訴說衷腸.　　　　2450

〔完〕

(133)

自
注

露絲初稿在一九二三年二月. 隔
了兩年的春,修改了一遍,并請豐子愷畫
了張插畫,由上海的友人轉寄給郭沫若
廣州. 但沫若那時已從軍北伐,稿本無
人問訊,便遺失在那里了. 今年五月,無
意中在舊紙堆里翻着尋了多時沒有找
得的最初的底稿的段片. 一個月的修
改補訂,四年前的舊稿又成了新書.

露絲現在一定還是堆舊紙,假如沒
有我的朋友宗亮球的鼓勵和催促. 在
此,我要學一般著作家的樣:在自己的書
上提起那對於自己著作有特別幫助的
人的名字,并且表示謝意,——謝謝宗君.

於讀者的便利和忠實的表白自己,

（1）

下列的幾條自注,或者,有相當的用處:——

165 行——"宛似羅曼的夢鄉"

"若用英文來說,便是 Hospitable, inviting dream-land of the romantic age（中世浪漫時代的,鄉風純樸,山水秀麗的夢境）了"——郁達夫之沈淪.

366 行——"如同千萬個寧扶"

"寧扶," Nymphs 或 Nymphae 之音譯,山林水澤女神之總稱:

Oceanids 或 Nereids 海之寧扶.

Naiades 泉流湖澤之寧扶。

Oreades 山嶽巖洞之寧扶（以 Echo 為最著名）

Napaeae 與 Alseides 叢林原隰之寧扶.

Dryades 或 Hamadryades 森林之寧扶.

378 行——"愛與青春的女神"

即"薇娜絲" Venus（見 375 行）,為大神 Jupiter 與水氣女神 Diome 所生之女,司

（ 2 ）

戀愛,靑春與美麗.又說,Venus生自海水波
沫中.

　　549行——"愛比哲學還聰明"
　　　見 Oscar Wilde 之童話 The Rose and
the Nightingale.

　　565--568行——
　　　自 Goethe 之 Die Leiden des jungen
Werther 序詩 "Lotte und Werther."
　　613行——"我采這枝莫我忘"
　　　"莫我忘"Vergissmeinnicht,英名 For-
get-me-not,學名 Myosotis palustris,爲紫草科
Boraginaceae 之一年生或多年生草,高六英
寸至十二英寸,多生於山林溪沼之旁.長
夏新秋開花,藍瓣黃心,小如點點繁星:
Longfellow 氏曾稱天上明星爲 Forget-me-
nots of the Angels 云,見 Evangeline:

　　"Silently, one by one, in the infinite mea-
　　　dows of heaven,

　　Blossom the lovely stars, the forget-me-

（ 3 ）

nots of the angels.''

　　相傳古日耳曼騎士 Knight 某為彼戀人采此花,失足墜山澗急流中.臨命時,猶手執此花,大呼 "Vergiss nicht mein!" 云,因而得名,并作為誠信之表象 The Emblem of Fidelty.誠信為 Freindship 與 Love 之生命,故詩人尤多以 Vergissmeinnicht 為題歌詠 Freindship 與 Love: 最著者如 Thuringian Forest 之民歌 "Treue Liebe"第二章.

"Blau ist ein Blümelein,

　　Das heisst Vergissnichtmein,

　　Dies Blumlein Leg an's Herz,

　　　Und denke mein!

　　Stirbt Blum' und Hoffnung gleich,

　　Wir s'nd an Liebe reich,

　　Denn die stirbt nie bei mir,

　　　Das glaube mir!''

　　無名氏之三章:

"There is a lettle modest flower,

　　To freindship ever dear.

It's nourished in her humble bower,
And watered by her tear.

"If hearts by found affec ion tired
Should chance to slip away,
This little flower will gently chide
The heart that thus would stray.

"All other flower, when once they fade,
Are left alone to die.
But this e'en when it is decayed,
Will live in memory's sigh."

624 行——

　見 613 行.

650 行——"采著神秘的愛爛"

　"愛爛 "Love-in-Idleness, 從林琴南譯, 卽三色菫 Pansy, 別名 Cuddle-me-to-you. Three-faces-under-a-hood, Herb-trinity, Hearts-ease 等.

　采此花搗成汁水, 俟男或女酣眠時, 滴入眼內, 則醒後第一個所看見物無論其為人, 為牛, 為馬, 卽愛之不忍捨.
見 Shake-s.eare 之 A Midsummer Night,s
Dream:

"Oberon:··························
Yet mark'd I where the bolt of Cupid
　　fell:
It fell upon a little western flower,
Before milk-white, now purple with
　　love's wound,
And maidens call it lov.-in-idleness.
Fetch me that flower; the herb I show'd
　　thee once:
The juice of it on sleeping eyelids laid
Will make or man or woman madly dote
Upon the next live creature that it
sees."

　　　　　　　　　——Act II, Scene 1.

653 行——"願寇必德的金箭"
"寇必德 (Cupid," Venus 之第二子,

背生小翼,常來往空中,以金箭射人間男
女之心胸,被射者,卽發生愛情云（叅閱
1571 至 1604 行寇必德之歌）.

712—713 行——

自 Remy de Gourmont 之 Une Nuit au
Luxembourg.

846 行——"忘川"

非指 Lethe's stream.

1093—1 99 行——

自 Omar Khayyam 之 Rubaiyat, XII.
Fitzgerald 英譯:

"A Book of Verses underneath the
Bough,

A Jug of Wine, a Loaf of Bread—and
Thou Beside me singing in the Wild-
erness—

O, Wilderness were Paradise now!"

又 Robert Burns 之 Oh, were thou in
the Cauld Blast, 第二章上半:

"Or were I in the wildest waste,

（ 7 ）

Sae bleak and bare, sae bleak and bare,

The desert were a paradise,

 If thou wert there, if you wert there,

又王獨清之追 Mirage 歌末章,句:

"我只要和我的愛人同住那雪山
 之上,

那雪山,便是天堂!"

1265——1276 行——

 自李煜之浪淘沙:

"簾外雨潺潺,春意闌珊,羅衾不耐
五更寒:夢裏不知身是客,一向貪歡.

"獨自莫憑欄,無限江山,別時容易
見時難: 流水落花春去也,天上人
間."

1418 行 起——

 "露絲的哀歌"三章,仿郭沫若之
 湘纍的"哀歌."

一九二七,九月.

(8)